meine beste Freundin

Cheyenne Wawrceck

Lotta Petermann

kleine Schwester von

Chanell Wawrceck

meine Mama

Sabine Petermann

mag Ajudingsbums-Gekoche

Mitglied unserer Bande

Paul Kohlhase

WK

(Über Heesters schreib ich später noch was.)

Heesters/Schildkröte

Rainer Petermann

mein Papa ↗ Lehrer

CW00537897

Alice Pantermüller
Daniela Kohl

Mein Lotta-Leben
Daher weht der Hase!

Weitere Bücher von Alice Pantermüller im Arena Verlag:

Mein Lotta-Leben. Alles voller Kaninchen (1)
Mein Lotta-Leben. Wie belämmert ist das denn? (2)
Mein Lotta-Leben. Hier steckt der Wurm drin! (3)
Mein Lotta-Leben. Daher weht der Hase! (4)
Mein Lotta-Leben. Ich glaub, meine Kröte pfeift! (5)
Mein Lotta-Leben. Den Letzten knutschen die Elche! (6)
Mein Lotta-Leben. Und täglich grüßt der Camembär (7)
Mein Lotta-Leben. Kein Drama ohne Lama (8)
Mein Lotta-Leben. Das reinste Katzentheater (9)
Mein Lotta-Leben. Der Schuh des Känguru (10)
Mein Lotta-Leben. Volle Kanne Koala (11)
Mein Lotta-Leben. Eine Natter macht die Flatter (12)
Mein Lotta-Leben. Wenn die Frösche zweimal quaken (13)
Mein Lotta-Leben. Da lachen ja die Hunde! (14)
Mein Lotta-Leben. Wer den Wal hat (15)

Linni von Links. Berühmt mit Kirsche obendrauf (1)
Linni von Links. Ein Star im Himbeer-Sahne-Himmel (2)
Linni von Links. Alle Pflaumen fliegen hoch (3)
Linni von Links. Die Heldin der Bananentorte (4)

Poldi und Partner. Immer dem Nager nach (1)
Poldi und Partner. Ein Pinguin geht baden (2)
Poldi und Partner. Alpaka ahoi! (3)

Bendix Brodersen. Angsthasen erleben keine Abenteuer
Bendix Brodersen. Echte Helden haben immer einen Plan B

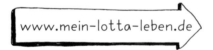

www.mein-lotta-leben.de

Alice Pantermüller

wollte bereits während der Grundschulzeit „Buchschreiberin" oder Lehrerin werden. Nach einem Lehramtsstudium, einem Aufenthalt als Deutsche Fremdsprachenassistentin in Schottland und einer Ausbildung zur Buchhändlerin lebt sie heute mit ihrer Familie in der Lüneburger Heide. Bekannt wurde sie durch ihre Kinderbücher rund um „Bendix Brodersen" und die Erfolgsreihe „Mein Lotta-Leben".

Daniela Kohl

verdiente sich schon als Kind ihr Pausenbrot mit kleinen Kritzeleien, die sie an ihre Klassenkameraden oder an Tanten und Opas verkaufte. Sie studierte an der FH München Kommunikationsdesign und arbeitet seit 2001 fröhlich als freie Illustratorin und Grafikerin. Mit Mann, Hund und Schildkröte lebt sie über den Dächern von München.

Alice Pantermüller

MEIN LOTTA-LEBEN

Daher weht der Hase!

Illustriert von Daniela Kohl

Arena

Für alle Leseratten (ganz besonders Tina).
Danke.  Daniela

15. Auflage 2019

© 2013 Arena Verlag GmbH, Würzburg

Alle Rechte vorbehalten

Einband und Illustrationen: Daniela Kohl

Gesamtherstellung: Westermann Druck Zwickau GmbH

ISBN 978-3-401-06833-6

www.arena-verlag.de

Mitreden unter forum.arena-verlag.de

MONTAG, DER 30. APRIL

Heute musste ich nicht in die
Schule. Ich hab nämlich

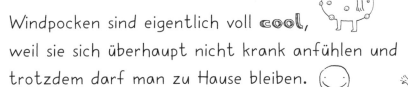

WINDPOCKEN!

Windpocken sind eigentlich voll **cool**,
weil sie sich überhaupt nicht krank anfühlen und
trotzdem darf man zu Hause bleiben. ☺

kratzkratzkratz

Bloß dass die so **jucken**,
das ist total **EKLIG**.

Und man darf nicht kratzen,
sonst gibt es [Narben],
sagt Mama immer.

hässlich

Außerdem bin ich schon seit letztem Dienstag
krank und jetzt weiß ich so langsam
nicht mehr, was ich machen soll.

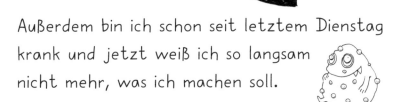

Ich hab schon ein Buch gelesen  und
Fernsehen geguckt  hab ich auch.

Außerdem hab ich:

🙂 Noch ein **Buch** gelesen.

😕 Versucht, eine **Fliege** mit meiner
indische Blockflöte **zu beschwören**.
Aber Fliegen sind dumme Tiere, die sich nicht
so gut **beschwören** lassen.

😐 Aus dem **Fenster** geguckt.

🙂 Das Fenster aufgemacht
und **Polly**, den Hund von Frau
Segebrecht, anmiaut.

😄 **Knoten** in die Schlafanzüge
von meinen Brüdern gemacht.

😊 Und ein **Bild** gemalt, wo ich drauf
war mit Windpocken.

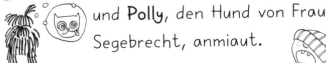

Aber meine beiden
Blödbrüder haben
nur so **doof** gelacht,
als sie das gesehen
haben, das Bild.

Jakob hat gesagt, meine Pickel gehen bis zu den
Füßen, und Simon hat gesagt, das sind keine
Pickel, sondern Pestbeulen und die sind
voll ansteckend.

Die haben ja so was von keine Ahnung,
die beiden!

Und als ich heute so im Wohnzimmer saß und in einem Buch mit Weihnachtsliedern geblättert hab, da fiel mir plötzlich ein, warum mir so **stinklangweilig** war:
Ich hab nämlich überhaupt keine **Hobbys!** Und deswegen kann ich gar nichts machen, wenn ich krank bin.

Da bin ich schnell aufgesprungen und zu  gelaufen.
Das heißt, ich wollte zu Mama laufen, aber auf dem Weg bin ich über Heesters gestolpert, unsere Schildkröte.

(Über Heesters schreib ich später noch was. Jetzt hab ich gerade keine Zeit!)

Mama war in der Küche und hat mit ihrem neuen **POWER-JUICER-ENTSAFTER** was entsaftet. Und zwar Reis.

Reismilch. Gesund und lecker. Davon werden deine Windpocken im Nu verschwinden!

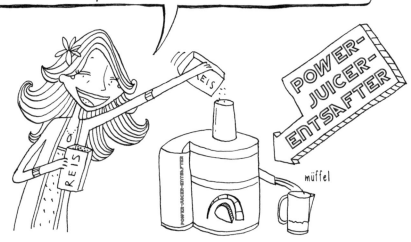

Also, da war ich mir ja nicht so sicher.

gleicher Geruch

Die Reismilch hat nämlich etwas **KOMISCH** gerochen. Ein bisschen wie mein Turnbeutel von innen.

Bestimmt kriegt man davon noch viel mehr Pocken.

Da hab ich lieber schnell das Thema gewechselt.
Ich hab Mama erzählt, dass ich dringend ein

Hobby

brauch, damit mir nicht mehr so *langweilig* ist.

Und als ich ihr das gerade sagte, ist mir die
eingebildete Berenike von Bödecker aus
meiner Klasse eingefallen. Die mit ihrer hochnäsigen Nase und ihren reichen Eltern. Weil die
nämlich ganz viele **Hobbys** hat.

Wenn die mal krank
ist, kann sie reiten
und Geige spielen
und snowboarden
und keitsörfen.

Aber natürlich war das ein Fehler, Mama davon zu erzählen! Sie hat sofort gesagt, ich hab ja immerhin auch ein **Hobby**.

 Blockflötespielen nämlich. Und jetzt hätte ich ganz viel Zeit zum Üben, weil ich doch krank bin.

Und ich hab eine schöne Überraschung für dich, Schatz! Gerade habe ich eine neue Flötenlehrerin für dich gefunden! Frau Friemel. Sie klingt sehr nett am Telefon.

Da bin ich lieber wieder zurück ins Wohnzimmer gegangen.

Oh Mann.

Auf so eine Überraschung kann ich echt verzichten!

 Schließlich bin ich die **schlechteste** Blockflötespielerin der Welt.

Wenn ich auf meiner indischen Blockflöte spiele,
passieren immer nur komische Sachen.
Bloß Schlangen, die kann ich damit **beschwören**!

 Oder eher Würmer.

Aber die sind ja auch so ein bisschen
SCHLÄNGELIG, so wie Kobras.

Nachmittags kam Cheyenne zu Besuch. Cheyenne
hatte im Kindergarten schon Windpocken und
deshalb kann sie sich nicht mehr anstecken.

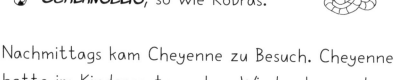

Zum Glück! CHEYENNE ist
nämlich meine aller-allerbeste Freundin,
und wenn sie da ist, muss ich mich nicht mehr
zu Tode langweilen vor lauter Nichtstun.

öde öde öde öde
öde öde öde öde
öde öde öde öde
öde öde öde öde
öde öde öde öde

öde öde öde öde
öde öde öde öde
öde öde öde öde
öde öde öde öde
öde öde öde öde

Als ich Cheyenne erzählt hab, dass Windpocken total **öde** sind, wenn man gar kein richtiges **Hobby** hat, da hat sie so die Hände in die Seiten gestemmt.

Ey Mann, das stimmt voll. Ich hab auch kein **Hobby**.

Und dann haben wir erst mal ein bisschen überlegt, wofür man sich denn so interessieren könnte. Natürlich musste es was total **TOLLES** sein. Irgendwas, was noch viel cooler war als die ganzen Angeberhobbys von Berenike! 😁

13

Und da hatte ich voll die ← **gute Idee!** Nämlich, dass wir mal bei Papa im Computer nachgucken, was es überhaupt für **Hobbys** gibt.

Das passte gerade gut, weil Mama einkaufen war und Papa hatte irgendeine Konferenz oder so.

Also sind wir in Papas Arbeitszimmer gegangen und ich hab den Computer angemacht.

In der Zwischenzeit hat Cheyenne eine **Eins** unter ein total schlechtes Diktat geschrieben, das sie auf Papas Schreibtisch gefunden hat.
Papa ist nämlich Lehrer.

Dann haben wir **coole Hobbys** bei Google einge-
geben. Da kamen total viele Vorschläge und wir
haben erst mal ewig geguckt und die tollsten
Sachen aufgeschrieben. Danach hatten wir eine

ziemlich coole Hobby-Liste:

⭐ **Fallschirmspringen**

⭐ **Einradfahren**

⭐ **Höhlenerforschen**

⭐ **Kristallezüchten**

⭐ **Tauchen mit Haien**

⭐ **Wildwasser-Rafting**

⭐ **Drachenfliegen**

⭐ **Dinosaurierskelette-Ausgraben**

Cheyennes Augen haben richtig geglitzert.

Ich will mit Haien tauchen.

Oder Kristalle züchten.

glitzer

Da hab ich sie gefragt, wie sie das machen will,
und dann haben wir erst mal lange auf unsere
Liste geguckt und nichts gesagt.
Weil hier nämlich gar kein Meer
in der Nähe ist und auch keine Höhle
und kein Wildwasser.
Außerdem haben wir auch kein Einrad.
Und keinen Fallschirm.

16

Und Drachen haben wir
bloß so welche aus
Plastik mit einer Schnur.

Bei mir ist das Bild von einem Vogel drauf und in
der Ecke steht Mississippi-Weihe.

öde

Ich weiß, was wir machen können:
Kirschkernweitspucken.

Also sind wir in die Küche gegangen und haben
nach Kirschen gesucht.
Aber nicht mal die waren da.

Zum Glück lag in einer Schublade eine Tüte mit

Haldirams Chana Dal
würzig geröstete halbe Kichererbsen.

Die hat Mama in diesem **indischen** Laden ge-
kauft, wo auch meine Flöte  her ist.

Und dann sind wir in den Garten gegangen und
haben Kichererbsenweitspucken gemacht.

Ich hab **gewonnen**,
übrigens.

Vielleicht war das aber auch, weil Cheyenne die
meisten Kichererbsen einfach aufgegessen hat,
anstatt sie auszuspucken.

DIENSTAG, DER 1. MAI

Jetzt haben Jakob und
Simon auch Windpocken.
Den ganzen Tag lang
haben sie **rumgejammert**,
weil nämlich heute Feiertag
ist und sowieso schulfrei.
Auch ohne Windpocken. 😊

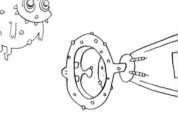

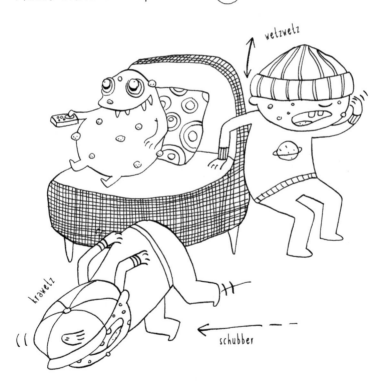

wetzwetz

krawetz

((

schubber

Ha! Selber schuld, ihr **Blödbrüder!**

MITTWOCH, DER 2. MAI

Endlich sind alle meine bescheuerten Windpocken verkrustet und ich darf wieder zur Schule.

In der Pause haben wir uns auf dem Schulhof mit (Paul) getroffen.

Wir sind nämlich eine Bande, Cheyenne, Paul und ich. DIE WILDEN KANINCHEN.

DIE WILDEN KANINCHEN

← Brille

Paul hat ein richtiges [Baumhaus], das ist unser Hauptquartier. Außerdem ist Paul total klug, das sieht man schon an seiner Brille.

Deswegen wollten wir ihn auch fragen, ob er eine Idee hat für ein ECHT COOLES Hobby.

Paul hatte gleich ganz viele
Ideen. Und zwar, dass wir ja
Schach spielen können, mit ihm
zusammen. Jeden Mittwoch
im Gemeindezentrum.
Oder wir könnten:

was **sammeln.** Briefmarken zum Beispiel
oder kleine Lego-Star-Wars-Figuren.

lernen, wie man Spuren liest und
Fingerabdrücke nimmt und so andere
Geheimagenten-Sachen.

Sport treiben.
Zum Beispiel Tischtennis oder Karate.

Modellbau. Da kann man
irgendwelche Eiffeltürme oder
Raumschiffe zusammenbauen.

einen **Computerkurs** machen.

Ey, das ist ja **voll langweilig**! Da häkel ich ja lieber noch **Topflappen!**

Das war aber nicht schlau von Cheyenne, weil Paul doch immer so schnell **beleidigt** ist. Und ich musste auch noch kichern, als sie das gesagt hat. Da hat sich Paul umgedreht und ist weggegangen. So **stapfig** irgendwie.

Aber seine Ideen waren sowieso nicht besonders gut, fand ich.

Als wir ihm so hinterhergeguckt
haben, hat Cheyenne Casimir
entdeckt. Casimir ist der große
Bruder von Berenike.
Er geht schon in die Neunte und
ist der coolste Junge von der ganzen
Günter-Graus-Gesamtschule.
Findet Cheyenne jedenfalls.

Casimir stand mit ein paar anderen Jungs zusammen und hat ausgesehen, als würde er gerade irgendwas Interessantes machen. Also ist
Cheyenne zu ihm rübergegangen. Und ich auch.

flitz

Die Jungs haben aber bloß
auf ihren Handys gespielt.

gähn!

Aber Cheyenne hat trotzdem gefragt, ob sie auch mal darf, und da hat Casimir ihr sein Handy gegeben und hat ihr sogar noch gezeigt, wie das geht.

Das war ja eigentlich voll nett von ihm!

gähn!

Aber ich fand das trotzdem ein bisschen **langweilig.** Weil ich ja bloß zugeguckt hab, wie Cheyennes Handy-Monster aus Schleimkügelchen Brücken gebaut haben.

Also, ich glaub, das ist schon mal kein **Hobby** für mich! Handy-Spiele und so.

Aber Cheyenne, die war total begeistert.
Auch noch, als wir wieder weitergegangen sind.
Ständig hat sie erzählt, wie süß und cool
Casimir ist. Hoffentlich wird das nicht ihr neues
Hobby. Casimir, meine ich. Weil, das können wir
ja nicht zusammen machen!

Dann hat es geklingelt und wir mussten reingehen, weil wir jetzt Geschichte bei Frau Kackert hatten.

SCHRILL

Das war schon schlimm genug, aber dann standen auch noch die ganzen **LÄMMER-GIRLS** vor der Klasse und haben so dämlich rumgegackert.

pokpokpok
pokpoook
gacker

Berenike hat am lautesten gegackert.

POKPOOOKPOKPOK

Und zwar weil ihre Mutter sie zu einem Schnupperkurs Eiskunstlauf angemeldet hat. Am Wochenende in der Eishalle. Dabei hat sie so **affig** ihr Bein ausgestreckt, als ob sie Ballett machen würde.

Natürlich haben die anderen **LÄMMER-GIRLS**
sie sofort noch mehr umringt und Emma
hat gerufen, dass sie auch schon angemeldet ist.
Und Hannah auch und Liv-Grete auch.

Das ist ja voll der Zufall!
Meine Mutter hat mich
nämlich auch angemeldet
zum Schnuppern!

Und dann hat sie die Nase so
komisch verzogen und geschnüffelt
und wir sind lieber schnell ein
Stück weitergegangen, weil wir
so lachen mussten.

 Aber die Idee war echt gut!

Das mit dem Eiskunstlaufen, meine ich.
Es ist nämlich **total cool**, wenn man im
Winter ✳✳✳ zum Schlittschuhlaufen
auf einen zugefrorenen Teich geht ⌐↓

⟶ und plötzlich macht man so einen doppelten Rittburger, oder wie das heißt. Also diese Übung, wenn man so hochspringt ↑ und sich dreht ⟲➤, mein ich. Deshalb haben Cheyenne und ich beschlossen, dass wir wirklich beim Schnupperkurs mitmachen. Und dass das unser neues **Hobby** wird:

Als ich mittags nach Hause gekommen bin, wollte ich Mama unbedingt sofort von dem Schnupperkurs erzählen. Aber die hat gar nicht richtig hingehört. ☹

Sie hat bloß so ein strahliges Gesicht gemacht und gesagt, dass ich schon morgen meine erste Flötenstunde bei Frau Friemel hab.

Also, da ist mir ein bisschen **KODDERIG** im Bauch geworden! Ich hab schnell gesagt, dass ich dann aber auch zum *Eiskunstlaufen* will. Weil Sport nämlich wichtig ist für Kinder. So als Ausgleich zum Flötespielen.

 **Eiskunstlauf** hat Mama gesagt und mich so komisch angeguckt.

Und dann hat sie gemeint, dass ich ja auch zum Schwimmkurs gehen könnte.

Oder zum Turnen. ⟶

Aber ich hab den Kopf geschüttelt und gesagt, dass ich am allerliebsten und auf jeden Fall zum *Eiskunstlauf* will.
Und wisst ihr, was da passiert ist?
Mama hat es erlaubt!
Juchhu!!!

DONNERSTAG, DER 3. MAI

Heute war mir schon in der Schule **SCHLECHT**, weil ich nachmittags zur Flötenstunde 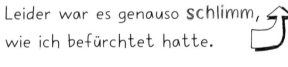 musste.

Leider war es genauso **schlimm**, wie ich befürchtet hatte.

Frau Friemel ist nämlich so eine ältere Dame mit Löckchen.

Und solche älteren Damen mögen es meistens nicht, wenn man nicht so gut Flöte spielen kann. ⌣

Sie hat mir Noten gegeben und gesagt, das wär nur eine kleine Übung. Und ich sollte das vorspielen. **Dabei sehen für mich doch alle Noten gleich aus!** So, als ob ein Goldhamster mit dreckigen Füßen übers Papier gelaufen ist.

Da hab ich mir gedacht, dass ich lieber ein bisschen **Schlangenbeschwörermusik** spiele. Weil das nämlich das Einzige ist, was ich gut kann mit der Flöte. Und weil Frau Friemel dann **beschwört** ist und nicht schimpft.

Also hab ich ganz vorsichtig in die Flöte gepustet und die Finger bewegt. Es hat sich auch richtig **indisch** und **beschwörerisch** angehört.

Aber dann ist schon wieder was passiert.

Irgendwie hab ich nämlich nicht Frau Friemel **beschwört**, sondern Frau Friemels Dackel. Der lag auf dem Sofa und hat ein bisschen so ausgesehen wie eine Wurst.

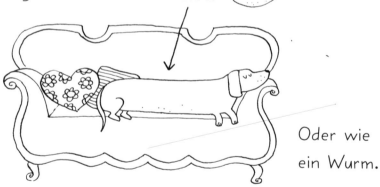

Oder wie ein Wurm.

Und weil Würmer so ähnlich sind wie Schlangen, kann man sie ja auch besonders gut **beschwören**.

Auf jeden Fall hat Frau
Friemels Dackel angefangen,
sich so zu krümmen.
Und dann ... **HEY!**

Dann hat er sich hingesetzt,
mit den Pfoten hoch, und hat ... er hat richtig

GETANZT!

Mit den Vorderbeinen hat er immer seine Ohren
angestupst. Und dabei hat er so winselig **gejault.**
Das klang total wie echte **indische Musik!**

Boah, ich war richtig stolz auf mich!

miepmiep

schimpf!

Aber Frau Friemel hatte
wohl **schlechte** Laune.

Sie hat nur **rumgeschimpft**, dass ich sofort
aufhören soll, weil das Tierquälerei ist. Und dann
hat sie gesagt, dass ich nach Hause gehen und
niemals wiederkommen soll.

Also, das fand ich ganz schön
frech von Frau Friemel! Die hat
ja wohl echt keine Ahnung
von **Schlangenbeschwörung!**

Aber als ich dann draußen war, war ich eigentlich doch ziemlich froh. Nämlich, weil ich **nie
wieder** zu ihr muss zur Flötenstunde.

SAMSTAG, DER 5. MAI

So, heute geht's zum *Eiskunstlaufen!*
Und Cheyenne kommt auch mit!
Das wird ja so **cool!**

Mama hat uns hingefahren.
Auf dem Weg hab ich voll
geschwitzt, weil ich eine
Mütze und Handschuhe und
einen Schal anhatte.
Dabei waren draußen
zweiundzwanzig Grad.

Aber Mama hat gesagt, dass es in der Eishalle
ganz kalt ist.

Cheyenne hatte trotzdem
keine warmen Sachen mit.
Sie hatte sogar ein kurzes
Kleid an, mit Rüschen.
Weil sie aussehen wollte
wie eine *Eisprinzessin.*

Auf der ganzen Fahrt hat sie erzählt, dass sie
bestimmt besser Schlittschuh laufen kann als
Berenike. Und zwar weil Berenike so eine
hochnäsige Nase hat, dass sie gar nicht aufs
Eis gucken kann, und deshalb immer über die
Kufen stolpert.

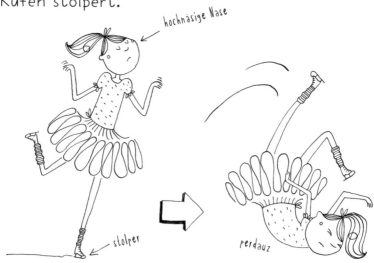

hochnäsige Nase

stolper

perdauz

Als wir dann in der Eishalle waren,
war ich ziemlich froh, dass ich
Wintersachen anhatte.
Es war nämlich echt saukalt.

Weil wir keine Schlittschuhe hatten, durften
wir welche leihen. Die Frau an der Kasse hat
Cheyenne ziemlich komisch angeguckt und
gesagt, dass sie sich eine Jacke anziehen soll.

Aber Cheyenne hatte ja
keine  mit. Und
auch keine 🧤 Handschuhe.
Als sie die Schlittschuhe
angezogen hat, waren ihre
Finger schon voll blau.

bibber

Dann sind Berenike und die **LÄMMER-GIRLS**
reingekommen. Alle mit Jacken an.
Die von Berenike war natürlich rosa und mit
ganz viel Glitzer. Und auf dem Kopf hatte sie
eine **PUSCHELIGE** weiße Mütze, die sah aus
wie eine tote Perserkatze.

> Du liebe Güte! Das dumme Kaninchen hat wohl
> Eiskunstlaufen mit Eierlaufen verwechselt.

miau? →

glitzer

Und ihre bescheuerten **LÄMMER-GIRLS** haben sofort losgegackert wie die Hühner, war ja klar!

pokpokpok

gacker

pokpokpoook

schlotter

Wart bloß ab, du blöde Kuh. Dir werd ich's zeigen!

Meine Schlittschuhe haben ein bisschen gedrückt, und zwar an den Knöcheln.

Aber ich hatte keine Zeit mehr, sie umzutauschen, weil plötzlich die Eiskunstlauflehrerin da war.

Die hat uns erst mal begrüßt und dann hat sie uns gezählt. Wir waren elf Mädchen.

Danach hat sie gefragt, wer von uns schon mal Schlittschuh gelaufen ist, und da hab ich mich gemeldet. Weil ich ja früher schon ein paarmal gelaufen bin. Immer wenn ich im Winter bei meiner Cousine an der Ostsee zu Besuch war und die Ostsee mal zugefroren war.
So ungefähr einmal war das, glaub ich.

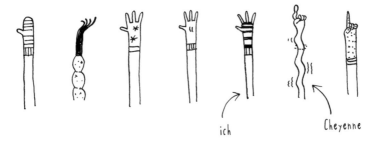

ich   Cheyenne

Die **LÄMMER-GIRLS** haben sich auch alle gemeldet und da hat Cheyenne sich auch gemeldet. Obwohl ich genau weiß, dass sie noch nie Schlittschuh gelaufen ist.

Dann sollten wir uns erst mal warm laufen. Die Eiskunstlauflehrerin ist losgefahren und wir sollten hinterherfahren.

Leider ist Cheyenne
hingeknallt, und zwar
voll auf die Knie.
Und dabei waren wir
noch nicht mal auf
dem Eis, sondern noch
neben dem Kassenhäuschen.

deng

hülschä

Da hat sie sich erst
mal auf die Tribüne
gesetzt, um sich aus-
zuruhen. Bloß ab und
zu hat sie geniest.

Ich bin dann alleine aufs
Eis gegangen, zuerst aber
nur an den Rand, wo man
sich festhalten konnte.
Weil nämlich meine
Schlittschuhe immer
so weggeglitscht sind.

schubber

Zum Glück waren vorne so
Zacken dran, die konnte
man ins Eis hacken, damit
es nicht mehr so rutscht.

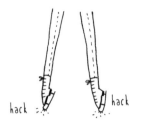

Aber da ist die Eiskunstlauflehrerin gekommen
und hat gesagt, ich soll aufhören, Löcher ins Eis
zu bohren. Und ich soll mal versuchen zu gleiten,
ohne mich an der Bande festzuhalten.

Dann hat sie mir gezeigt, wie das geht.
Es sah total einfach aus.
Aber die hatte ja auch vorher geübt!

Ich bin jedenfalls lieber erst mal so übers Eis gegangen wie ein Pinguin. Damit ich nicht hinfalle. Mir taten ja sowieso schon die Füße weh.

Dann bin ich doch hingefallen, und zwar auf den Po. Da hab ich die Füße nicht mehr so gemerkt.

Und als ich da auf dem Eis lag und zur Tribüne rübergeguckt hab, bin ich echt ein bisschen **stinkig** geworden.

Cheyenne hat nämlich nur da rumgesessen, mit ein paar Jungs zusammen. Die hatten alle Helme auf und Eishockey-Schläger dabei.

blinker

Einer von den Jungs war Casimir und er hatte Cheyenne seine Jacke  geliehen.

ALSO ECHT — die saß da einfach so gemütlich auf der Tribüne rum, während andere Leute ~~Eiskunstlauf~~ machen müssen!

Das gehört sich ja wohl _wirklich nicht_ für eine beste Freundin, oder? ☠

Aber gerade als ich mich
an der Bande hochgezogen
hatte und ihr das sagen
wollte, ist Berenike an
mir vorbeigefahren.
Und zwar rückwärts.

Da hab ich doch nichts zu Cheyenne gesagt.

Stattdessen hab
ich auch versucht,
rückwärts
zu fahren.

Leider bin ich wieder hingefallen, und
zwar wieder auf den Po. Dabei tat
der noch vom ersten Mal weh.

Sicherheitshalber bin ich danach lieber vom Eis
runtergekrabbelt, so mit den Händen und Knien.
Ich wollte nämlich nicht noch
mal auf den Po fallen.

Ich hab meine normalen Schuhe wieder
angezogen und bin rausgegangen,
wo es warm war.

Eigentlich wollte ich
mich auf eine Bank
setzen, aber leider
waren die Bänke
alle ein bisschen
hart am Po.

Also bin ich bloß über den Parkplatz
gegangen und hab Autos gezählt.

Dabei hab ich überlegt, ob das vielleicht auch ein
Hobby sein kann, Autoszählen. Aber irgendwie
hat das nicht besonders viel Spaß gemacht.

Zum Glück kam Cheyenne dann auch raus und
wir haben zusammen darauf gewartet, dass
Mama uns wieder abholt. In der Zwischenzeit
haben wir überlegt, dass es bestimmt noch viel
coolere **Hobbys** gibt als *Eiskunstlauf.*

Welche, zu denen man keine Höhlen und
Einräder und Ozeane braucht.

Uns ist bloß keins eingefallen. ⌢

DIENSTAG, DER 8. MAI

Als wir heute Morgen gefrühstückt haben, war
Mama ziemlich **Schlecht gelaunt.**
Sie hatte nämlich gestern bei zwei neuen
Flötenlehrerinnen angerufen, die beide sofort
wieder aufgelegt haben, als Mama meinen
Namen genannt hat.

Mama wollte, dass Papa sich
auch darüber aufregt, aber
Papa hat bloß in die Zeitung
geguckt und „**Hmm**" gemacht.

Und da ist Mama **noch**
Stinkiger geworden.

47

In der Zwischenzeit hab ich mein Knuspermüsli gegessen und darüber nachgedacht, ob Tierpostkartensammeln nicht auch ein schönes **Hobby** ist.

Grüße vom
Hochkofl

Grüße vom
Hochkofl

Oder Geräteturnen → vielleicht.

Und während ich noch so am Überlegen war, hab ich auf die Rückseite von Papas Zeitung geguckt. Und da stand es →

das beste und coolste **Hobby** überhaupt!

Tausendmal COOLER als Berenikes ganze Angeberhobbys zusammen!!!

Komparsen gesucht, stand da nämlich.

ZEITUNG   Dienstag, 8. Mai

KOMPARSEN GESUCHT

Till Tettenborn, Schauspieler

Der neue Jugendfilm mit dem Teeniestar Till Tettenborn ist unterbesetzt

E

„Wir brauchen noch Leute!"

Pandabär zu verschenken

Und dass für die Dreharbeiten zu einem Jugendfilm mit **Till Tettenborn** noch Leute gebraucht werden. Und alle Interessierten sollen sich am Wochenende in der großen Sporthalle am Fußballstadion melden.

BOAH! FILMSCHAUSPIELERIN!

Das ist ja wohl so was von genial!

Das wird mein neues **Hobby**!!!

Klick!

Ich als Piratin in
Fluch der Lotta

Ich als Hexe in
Hexe Lotta

Auch wenn ich nicht so genau weiß, wer Till Tettenborn ist. Aber er ist bestimmt ein berühmter Schauspieler!

Ich war **total aufgeregt**, hab aber trotzdem lieber nichts gesagt. Weil es nämlich bestimmt besser ist, wenn ich warte, bis Mama wieder gute Laune hat.

Und das kann wahrscheinlich noch ein bisschen dauern. Sie fand es nämlich nicht so toll, dass ich so schnell wieder mit *Eiskunstlauf* aufgehört hab.

Aber Cheyenne hab ich natürlich sofort davon erzählt, als ich in der Schule war, na klar! Weil sie so was ja noch toller findet als ich, **STARS** und **FILME** und **FERNSEHEN** und so.

Sie ist auch rumgehüpft wie ein Gummiball und hat sogar **gequietscht** dabei. Vor allen Dingen, weil sie **Till Tettenborn** so süß findet.

sproink

Vielleicht werd ich ja entdeckt! Und dann spiel ich die Hauptrolle! Zusammen mit Till! ♡ ♡ ♡

Aber da hab ich ihr gesagt, dass sie lieber ein bisschen unauffälliger sein soll, damit die **LÄMMER-GIRLS** nichts merken. Schließlich wollen wir ja ganz alleine reich und berühmt werden.

Höchstens Paul durfte das noch wissen. Der war aber wieder ein bisschen *langweilig* und wollte <u>nicht</u> mitmachen.

Außerdem hat er gesagt, dass man als Komparse sowieso nicht reich und berühmt wird. ⊖

MENNO, PAUL!

Aber wenigstens war er diesmal nicht beleidigt.

Nachmittags haben sich
DIE WILDEN KANINCHEN
dann in Pauls Baumhaus
getroffen.
Cheyenne und ich wollten
am liebsten nur über das
Wochenende und den Film
sprechen, aber dazu hatte
Paul keine Lust. 😐

Er wollte uns nämlich was anderes zeigen.
Und zwar hatte er einen Zauberkasten
geschenkt bekommen und ein paar
Zaubertricks hatte er auch schon
eingeübt.

wedel

Erst hat er
weiße Handschuhe
angezogen und dann
hat er so mit seinem
Zauberstab rumgewedelt.

53

Und dann hat er plötzlich einen Euro hinter Cheyennes Ohr rausgezogen. COOL! ☺

Bloß Cheyenne hat geschimpft, als Paul ihr den Euro nicht wiedergeben wollte.

Ey, das ist **meiner**! Schließlich ist das auch **mein** Ohr!

Aber Paul hat so getan, als würde er sie gar nicht hören.

Das ist doch wirklich ein **tolles Hobby**. Zaubern. Das solltet ihr auch machen.

Dann hat er auch noch so was mit Tüchern gemacht, aber da konnte man sehen, dass er die vorher im Ärmel versteckt hatte.

Schummel! Das ist ja gar keine echte Zauberei!

Ha!
Ha!
Ha!

Und Cheyenne hat gelacht.

strenger Blick →

Schummel

Komischerweise war Paul trotzdem nicht beleidigt. Er hat nur so **streng** über seine Brille geguckt. Wie Frau Kackert.

Der große Paulini schummelt nicht hat er mit einer ein bisschen **GRUSELIGEN** Stimme gesagt.

Der große **Paulini** zeigt euch jetzt den berühmtesten Zaubertrick der Welt!

Ich war echt gespannt.

Und dann hat **Paulini** einen Zylinder hochgehalten, sodass wir reingucken konnten. Da war nichts drin.

leer

Der ist ja bloß aus Pappe.

Aber Paul hat nicht geantwortet.
Er hat den Zylinder auf eine Holzkiste gestellt und so ein Tuch drübergelegt.

Und dann hat er wieder mit dem Zauberstab rumgewedelt. Es sah voll wichtig aus. Dabei hat er **Avada Kedavra** oder so ähnlich gemurmelt.

Dann hat er das Tuch weggezogen und was aus dem Zylinder rausgeholt.

Und zwar Berenikes Mütze vom Eiskunstlaufen.

Tadaa!

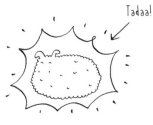

He, voll klasse! Die tote Perserkatze!

Da ist Paul total stinkig geworden und hat geschrien, dass das ein weißer Hase ist und ich eine blöde Kuh wär.

Cheyenne hat gesagt, sie erkennt ja wohl einen Hasen, wenn sie einen sieht, und zwar an den Ohren. Und die tote Perserkatze hatte keine Hasenohren, sondern nur so Stummel.

Vielleicht ist das ja auch ein Meerschweinchen hab ich gesagt und wollte mir das mal genauer angucken, aber da hat Paul das flauschige Ding weggezogen und in eine Plastiktüte gestopft.

Dabei hat er ein voll **BÖSES** Gesicht gemacht.

Chanell hat so Puschen, die aussehen wie Tiere.

mäh!

Zauberlehrling

Da hab ich gekichert, weil ich an Cheyennes kleine Schwester Chanell und ihre blöden Puschen denken musste.

hihi

Und da war Paul erst mal wieder **beleidigt**, obwohl ich ja gar nicht über ihn gelacht hab. Weiterzaubern wollte er auch nicht mehr.

Deshalb hab ich mir gedacht, dann kann ich ja auch mal was zaubern. In Pauls Zauberkasten war nämlich so ein Seil.
Und ein Seil, das sieht ja fast so aus wie eine Schlange.
Und ich hatte meine Blockflöte dabei, meine **indische**. Die hab ich jetzt immer dabei. Weil man ja viel üben muss, wenn man so richtig gut Schlangen **beschwören** will.

Also hab ich das Seil rausgeholt und auf die
Holzkiste gelegt.

Das ist ein normales Seil.
Aber gleich wird da eine
Schlange draus. Eine Kobra.
HOKUS POKUS!

Dann hab ich in die
Flöte gepustet.
Ganz vorsichtig.

Dabei hab ich ein bisschen hin und her getanzt.
Und ich dachte, gleich tanzt das Seil auch,
weil es sich nämlich so richtig nach

Schlangenbeschwörermusik

angehört hat, was
ich gespielt hab.
Ich hab die Augen
zugemacht und in
meinem Bauch hat
es sich angefühlt,
als ob ich ein echter
indischer Fakir
wäre.

Dann hat Cheyenne **BOOAAAH!** gerufen und ich hab die Augen wieder aufgemacht.

Und da hat das Seil **GETANZT!**  **Ganz in echt!**

Auf jeden Fall hat es sich so ein bisschen bewegt, mit dem Kopf nach oben.

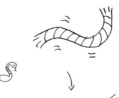

Paul hat gar nichts mehr gesagt. Wahrscheinlich, weil er total erstaunt war, dass ich besser zaubern kann als er. Und vielleicht auch ein bisschen beleidigt, weil er doch so viel geübt hat.

61

Cheyenne und Paul haben dann nur noch geguckt und geguckt und ich hab immer weitergespielt, obwohl mir ganz **kribbelig** zumute war.

Weil das Seil wirklich hin und her GETANZT ist wie eine beschwörte Kobra!

Aber dann hat es plötzlich GEQUIEKT.

Ein bisschen so wie ein kleines Schweinchen.

Und die Plastiktüte von Paul hat sich **von ganz alleine bewegt.**

Und dann ... dann ist sie **umgekippt!**

Und ein **Hase** ist rausgesprungen, ein echter! Ein weißer, ⟶ mit richtigen **Hasenohren!**

Da hab ich aufgehört, Flöte zu spielen.
Ich hab den Hasen nur angestarrt und Cheyenne
und Paul haben nach Luft geschnappt.

Der Hase hat uns auch angeguckt.
Dabei hat er so **süß** gemümmelt. →
Und dann ist er mit einem Mal
losgesprungen, einfach zur Tür raus.

Da haben wir alle voll den **Schreck** gekriegt,
weil es draußen ja ziemlich steil runtergeht.
Wir hatten echt **Angst**,
dass der arme Hase **abstürzt!**

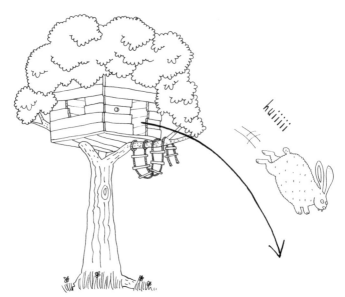

Aber als wir von oben in Pauls Garten geschaut
haben, da haben wir bloß noch gesehen, wie der
Hase weggehoppelt ⁓⁓⁓> ist.
Er hat noch einmal an einem Löwenzahn
geknabbert und dann ist er in
einem Busch verschwunden.

Und dann hat Paul sogar noch gesagt, dass das echt tolle Zauberei war.

Trotzdem haben wir danach nicht weitergezaubert. Und zwar weil das ja schon ein bisschen **GRUSELIG** war mit dem Puschen oder der Mütze oder was das war.

Dass daraus ein echter Hase geworden ist!

Wir sind wieder ins Baumhaus gegangen und wollten lieber noch eine **total coole Bandensache** machen.

> Vogelstimmen imitieren?

> Nein!

Uns ist bloß keine eingefallen.

SO! HEUTE GEHT DIE SCHAUSPIELEREI LOS!

Ich konnte beim Frühstück gar nichts essen, weil ich voll **aufgeregt** war. Und dann haben meine **BlöDbrüder** auch noch lauter doofe Sachen gesagt. Dass ich bestimmt eine Rolle als **ZOMBIE** krieg, dafür brauch ich mich nicht mal zu verkleiden, und so was.

Pfff! Die haben ja echt keine Ahnung vom Film! Die sind bloß neidisch, weil sie sowieso nicht mitspielen können mit ihren roten Flecken im Gesicht.

Nach dem Frühstück bin ich gleich zu Cheyenne gelaufen. Um neun ⊕ sollten wir nämlich schon in der Sporthalle 🏢 sein.

Cheyenne hatte sich voll **schick** gemacht. So mit lauter **klimperigen** Ketten und Armreifen und schwarz angemalten Wimpern. Bloß manchmal hatte sie nicht richtig getroffen mit der Wimperntusche. Deshalb waren da noch so ein paar schwarze Punkte extra in ihrem Gesicht.

klimper

„So muss man sich anziehen, wenn man vom Resischör entdeckt werden will", hat sie mir erklärt, als wir zur Sporthalle gelaufen sind.

> Schließlich will ich ja die Hauptrolle spielen.
> Mit **Till Tettenborn** zusammen. Der ist ja SOOO SÜẞ!

klimper

hops

hmpf

Daran hatte ich gar nicht gedacht. Mich schick anzuziehen, meine ich. Aber ich kenn ja **Till Tettenborn** auch nicht so richtig. Und was ein Resischör ist, weiß ich auch nicht so genau.

Deshalb finde ich es auch gut, wenn ich zum Beispiel im Film nur die beste Freundin von Cheyenne spiele.

Als wir bei der Sporthalle ankamen, war es schon total voll. ☹ Mindestens hundert oder zweihundert Leute standen da rum und wollten auch in dem Film mitspielen.

Da ist Cheyenne ein bisschen ungeduldig geworden und hat sich vorgedrängelt.

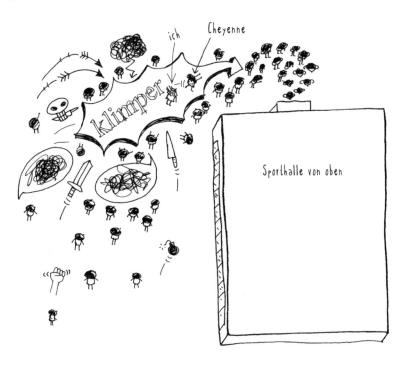

Dabei hat sie ordentlich geklimpert mit ihren Ketten ⬭ und Armbändern ⬭ und ziemlich viele Leute haben **geschimpft**. Über mich haben sie nicht so doll geschimpft, weil ich mich viel leiser vorgedrängelt hab. 😬

Dann sind wir an einen Tisch gekommen, an dem wir einen Zettel gekriegt haben.
Da sollten wir unseren Namen und unser Geburtsdatum und so was aufschreiben.
Cheyenne hat noch dazugeschrieben, dass sie auf jeden Fall die Hauptrolle haben will.

Name: ~~Cheyenne~~ Wawr~~tsch~~tscheck

Vorname: CHEYENNE ⭐

Geburtsdatum: 11 Jahre

Augenfarbe: Nugatschokoladenbraun

Haarfarbe: Dunkelblond oder so

Größe: Ziemlich groß ☺

Hobbys: Film! Und ich will auf
jeden Fall die Hauptrolle!!!
♡Till Tettenborn ist süß!!!♡

Danach sind wir in die Vorhalle gegangen, wo es zu den Umkleidekabinen geht.

Und haben gewartet.  Und gewartet.

Es hat total lange gedauert und immer mehr Leute sind reingekommen. **Menno!** Die wollten doch wohl nicht alle im Film mitspielen, oder? Cheyenne hat die ganze Zeit mit ihren Ketten und Armbändern rumgeklimpert und **gemotzt**. Und zwar dass sie sich beim Resischör beschwert. Und dass man eine Hauptdarstellerin nicht so behandeln kann. Und wenn sie erst mal reich und berühmt ist, dann lässt sie die ganze Sporthalle abreißen.

Als ich fast schon wieder nach Hause gehen wollte, weil es so **langweilig** war, ist eine Frau gekommen. Sie hat Hallo gesagt und dass sie Antje Seltsam heißt oder so ähnlich und dass sie uns ein paar Sachen zum Film erklären will.

Und das hat sie dann auch gemacht. Sie hat gesagt, dass wir alle Zuschauer bei einem wichtigen Basketballspiel sind.
Und wenn sie uns sagt, wir sollen klatschen, dann sollen wir klatschen.
Und wenn sie uns sagt, wir sollen buhen, dann sollen wir buhen. Buuuh!

Und wenn Cheyenne nicht aufhört, mit ihrem Schmuck zu **klimpern**, dann muss sie ihn draußen lassen.

72

Dann durften wir endlich in die Sporthalle, in der so eine große Tribüne war. Cheyenne und ich haben uns voll beeilt, damit wir **ganz vorne** sitzen können.

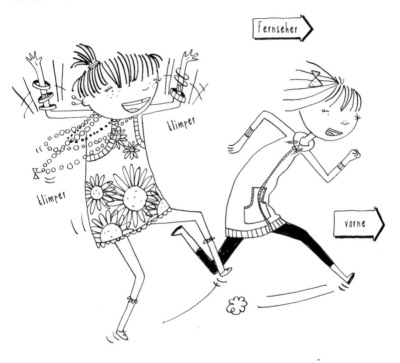

Dann kann man uns nämlich bestimmt immer ganz groß in dem riesigen **Fernseher** sehen, der an der Wand hängt.

Unten in der Halle waren lauter Kräne und Kameras und Lampen und ganz viele Leute, die hin und her gelaufen sind. Ein paar davon waren als Sportler verkleidet.

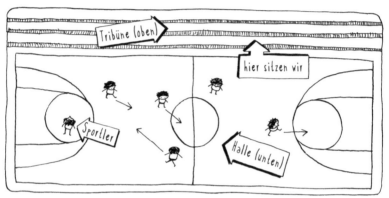

Bloß **Till Tettenborn** konnte Cheyenne nicht sehen und sie wollte schon wieder rummeckern. Aber dann hat sie ihn doch gesehen und **losgebrüllt**.

Und sie hat mit ihren Armreifen geklimpert.

Dabei sieht Till Tettenborn
eigentlich ganz normal aus.
So ein bisschen wie Casimir,
bloß mit kurzen Haaren mit
Gel drin. Und Sportsachen an.
Da konnte man voll die
Muskeln drunter sehen.

kurze Haare
mit Gel drin

Muskeln

Sportsachen →

Als ich noch überlegt hab,
warum Cheyenne den so toll
findet, ist Antje Seltsam mit
einer Tüte gekommen und hat
gesagt, Cheyenne soll ihren
ganzen Schmuck da reintun.

grummel

HÖBBIT

Und sie kann ihn
später am Eingang
wieder abholen.

Anschließend war Cheyenne
ein bisschen maulig und hat
gesagt, dass Antje Seltsam
ja voll keine Ahnung vom
Film hat. Und davon, was
man alles machen muss, um
entdeckt zu werden.

Dann haben wir allerdings beide noch
schlechtere Laune gekriegt, und zwar weil
wir Berenike gesehen haben. Die stand nämlich
unten in der Sporthalle.

Da, wo die ganzen
Schauspieler waren.

Sie war als Cheerleader
verkleidet und sah
ziemlich dämlich aus.
Sie hatte einen total
bescheuerten Bikini an
und ein Glitzerröckchen.
Und natürlich so **PUSCHEL**
in den Händen.

Buuuh! hat Cheyenne geschrien und da ist Antje Seltsam schon wieder gekommen und hat gesagt, dass wir nur buhen sollen, wenn sie es sagt.

Aber dann hat sie uns jedem eine Tüte Popcorn geschenkt, für völlig **umsonst!** Das war ja echt mal großzügig zwischendurch von Antje Seltsam! ☺ Allerdings dürfen wir die <u>nur</u> essen, wenn gefilmt wird, hat sie gesagt. Sonst ist das Popcorn bald alle und dabei soll es für den ganzen Tag reichen.

Cheyenne hat ihr Popcorn trotzdem gleich aufgegessen, als Antje Seltsam weg war. Weil sie nämlich Hunger hatte.

Also, ich hab das ja nicht gemacht. Ich hab mein Popcorn lieber nach Berenike geschnipst. Und einmal, da hab ich sie auch fast am Ohr getroffen!

Aber nur fast, leider.

Aber dann ist schon wieder die blöde Antje Seltsam gekommen und hat geschimpft.
Und zwar mit mir!
Dabei hab ich doch gar kein Popcorn gegessen!

Das ist ja mal wieder so was von unfair!

So langsam nervt Antje Seltsam! Aber total! ☠

Danach ist endlich mal was passiert. Wir sollten nämlich alle klatschen und jubeln.

Bloß leider sollten wir den **Cheerleadern** zujubeln. Und die sind da so **affig** rumgehüpft mit ihren Puscheln … das ging gar nicht!

Deshalb haben Cheyenne und ich lieber die
Zunge rausgestreckt und Grimassen gezogen.
Leider haben wir nicht gemerkt, dass schon in
echt gefilmt wurde. Und dann waren wir
plötzlich voll groß auf dem Bildschirm.
Alle konnten sehen, wie ich Schlitzaugen
gemacht hab. Und solche Nagezähne.

Sofort war Antje Seltsam
wieder da. Sie hat ein voll
Stinkiges Gesicht ⎯⎯→
gemacht und so **rumgezischt**,
beim nächsten Mal fliegen
wir raus.

Die soll bloß aufpassen. Wenn ich erst mal reich und berühmt bin, dann fliegt **die** raus, die blöde Kuh!

Danach wurde es wieder ein bisschen **langweilig**, weil wir nicht mehr klatschen und jubeln durften. gähn!

Dafür hat mir Cheyenne erzählt, was sie alles macht, wenn sie erst mal **REICH** und **BERÜHMT** ist:

♛ **Antje Seltsam** wird ihre Dienerin und muss jeden Tag ihre hundert Schuhe putzen.

Vor allem wenn Cheyenne in einen Hundehaufen getreten ist.

iiiihhh!

Cheyenne lässt die Günter-Graus-Gesamtschule schließen. Und dann muss **Frau Kackert** in der Fußgängerzone Mundharmonika spielen.

maunz

fump

👑 **Berenike** muss in ihren Filmen immer die Böse spielen, die keiner mag. Und zum Schluss kriegt sie ihre Strafe.

👑 Jeden Abend macht Cheyenne Party zusammen mit **Till Tettenborn** und dann gibt es so viele Chips, wie jeder essen kann.

CHIPS

uff!

CHIPS

Und zum Schluss heiratet sie **Till Tettenborn** und ihre Kinder werden alle berühmte Sänger.

plärr

kreisch

Bestimmt hätte Cheyenne noch viel mehr erzählt, aber da hat sie **Till Tettenborn** gesehen. Der war gerade unten in der Sporthalle und hat Basketball gespielt.

ditsch
ditsch
ditsch

Da hat sich Cheyenne ganz weit nach vorne gebeugt und gewinkt und gebrüllt.

TILL!
HIER BIN ICH!

Und ich hab meine Flöte rausgeholt und extra **FIES** reingepustet. Natürlich nur, um Cheyenne zu helfen.

fiiiiep

Damit **Till** mal hochguckt, nämlich.

Aber da ist Antje Seltsam gekommen und hat uns rausgeschmissen.

Und zwar weil wir schon wieder **ganz groß** auf dem Bildschirm zu sehen waren.

Und weil wir eigentlich Till Tettenborn zujubeln sollten, der nämlich gerade gefilmt wurde.

Dabei war das ja bloß ein Versehen!

Wir haben das doch überhaupt nicht gemerkt, dass die schon wieder am Filmen sind! Und dann werfen die uns raus! **VOLL GEMEIN!!!**

Als wir wieder in der Vorhalle waren, haben wir erst mal rumgeschimpft, was für eine obervollfiese Sumpfkuhziege Antje Seltsam ist.

Aber dann hat Cheyenne gesehen, dass die da
so einen großen Essenstisch aufgebaut haben für
die Komparsen. Da waren Brötchen 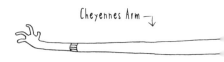 drauf
und Obst und Müsliriegel.
Und was zu trinken.

Da hat Cheyenne sich wieder
gefreut und wollte sich ein
Salamibrötchen und ein paar
Müsliriegel mit Schokolade holen.

Aber als Cheyenne gerade zugreifen wollte, ist
ein Mann mit so einem Bart nur an den Seiten
gekommen und hat gesagt, **HALT STOPP**,
das Buffet ist noch nicht freigegeben.

Cheyennes Arm →

Erst in einer Stunde,
wenn Pause ist,
dürfen sich alle
was zu essen holen.

Also hat Cheyenne so lange
gewartet, bis der Mann sich
umgedreht und mit seinem
Handy telefoniert hat.
Und da hat sie sich schnell
ein paar Müsliriegel stibitzt.

Leider hat der Mann das
aber trotzdem gesehen
und uns rausgeschmissen.

Da sind wir dann eben nach Hause gegangen.

Die ganze Zeit über haben wir gar nichts
gesagt. Erst als wir bei Cheyenne angekommen
waren, ist ihr eingefallen, dass ihr
Schmuck noch in der Sporthalle liegt.

MONTAG, DER 14. MAI

Oh Mann, heute war schon das Frühstück total bescheuert! ?!

Ich hab gerade so knusprig in meine Cornflakes gebissen, da kam Mama mit dem Telefon rein. Sie hatte ein ganz **begeistertes** Gesicht, das war schon mal voll verdächtig.

Und dann hat sie mir erzählt, dass sie endlich eine neue Blockflötenlehrerin für mich gefunden hat.

Frau Engelmann klingt wirklich entzückend! Und sie hat gleich heute Nachmittag einen Termin frei! Um vier hast du deine erste Flötenstunde bei ihr.

Da musste ich so husten, dass mir ein bisschen Milch aus der Nase rausgekommen ist.

spotz

duff!

Jakob hat mir auf den Rücken gehauen und da hab ich zurückgehauen, gegen seinen Arm.

peng!

WAAAH!

Natürlich hat er sofort losgeheult. Dass er mir nur helfen wollte und so. Ja, von wegen!

Ich bin aber jetzt Schauspielerin. Da hab ich keine Zeit mehr für Flöte.

> Solange du keine Film-
> rolle hast, gehst du zum
> Blockflötenunterricht

hat Mama geantwortet
und ihr Keine-Widerworte-
Gesicht gemacht.

Oh Mann, Mama!

„Dann gehst du dahin, bis
du tot bist!", hat Simon
gerufen und so **blöd** gelacht.
„Weil du nämlich niemals
eine Filmrolle kriegst!"

hahaha

MAMA!

knuff!

Da hab ich ihn auch gehauen und er hat
auch geheult und nach Mama **geschrien.**
Nee, das war echt kein gemütliches Frühstück!

In der Schule war es auch nicht besser.
Und zwar weil Berenike
schon vor der ersten Stunde
voll damit angegeben hat,
dass sie in dem Film mit
Till Tettenborn eine
Cheerleaderin spielt.

Da hat Cheyenne dazwischengerufen, dass man
mit **PUSCHELN** an den Händen aussieht wie
das Krümelmonster aus der Sesamstraße.

raschel

Und Berenike hat zurückgerufen,
dass wir ja sogar zu blöd sind
für Komparsenrollen.
Wir können ja nicht mal an
der richtigen Stelle klatschen.

Natürlich haben die **LÄMMER-GIRLS** sofort
wieder losgegackert, die dummen Hühner!

Ich bin so was von **böse** geworden!

Irgendwann sind wir
reich und berühmt! Und
du nicht! Dann sitzt du
zu Hause und spielst mit
deinen **PUSCHELN!**

Da hat Cheyenne so
laut losgelacht, dass
ich auch nicht mehr
sauer sein konnte.

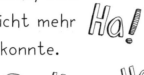

😊 Ha! Ha!

Wir sind weggegangen und haben
dabei voll rumgekichert. 😊

Ha! Ha! Ha!

Ha!
Ha!

raschel

Trotzdem. So viel Angeberei muss bestraft werden! Jetzt müssen wir erst recht tolle Filmrollen kriegen!

Klar, Mann!

Und dann hat sie gesagt, dass sie weiß, in welchem Hotel Till Tettenborn wohnt.

Heute Nachmittag fahren wir da hin. Und wenn er zum Fenster rausguckt, dann schreien wir: „Hier sind wir, Till!" Und schmeißen eine Rose hoch. Und dann findet der uns ganz toll und gibt uns Hauptrollen.

HIER SIND WIR, TILL!

Also ganz ehrlich, dazu hatte ich überhaupt
keine Lust. Ich glaub auch nicht, dass
das so geht, mit den Hauptrollen.

Aber dann ist mir gerade noch rechtzeitig
eingefallen, dass ich ja sowieso zum
Flötenunterricht musste.

Dann geh ich eben alleine.
Hauptsache, Berenike hat
bald ausgepuschelt!

Das fand ich auch.

Vor allem weil Berenike in Deutsch schon wieder von ihrem **blöden Film** und ihrer **blöden Filmrolle** erzählen durfte.

Frau Kackert hat sogar total interessiert über ihre Brille geguckt und noch extra viele Fragen gestellt.

interessierter Blick

Dabei ist sie doch sonst immer so **streng**. Wenn ich in der Deutschstunde so viel rede, dann krieg ich jedenfalls immer eine Strafarbeit. Und die eingebildete Berenike mit ihrer hochnäsigen Nase wird auch noch gelobt.

Aber nachmittags hatte ich ja erst mal Flötenstunde.
Fast hätte ich aus Versehen meine Flöte vergessen, aber Mama hat sie mir schnell noch in die Tasche mit den Noten gesteckt.

Frau Engelmann sah nett aus und auch noch gar nicht so alt wie Frau Friemel. Sie hatte auch keinen Dackel, sondern nur eine lustige Mütze auf mit so Blumen dran. Obwohl sie doch in ihrer Wohnung war.

← lustige Mütze

← kein Dackel

Und sie hatte ganz viele Flöten in einem Schrank mit einer Glastür davor, mindestens zwanzig. Riesengroße und winzig kleine.

Die hat sie mir erst mal alle gezeigt. Eine Flöte war gerade mal so klein wie mein Zeigefinger. Darauf hat sie ein bisschen rumtiriliert. Das klang voll *schön*.

98

Dann hat sie die Flöte ganz vorsichtig wieder zurückgelegt und die Glastür zugemacht. So, als ob sie ihre Flöten richtig gern hat. Ich glaub, das ist ihr **Hobby**, Flötensammeln.

Gerade als ich dachte, dass ich Frau Engelmann echt nett finde, hat sie aber gesagt, ich bin jetzt dran mit Flöte-spielen. Da hab ich voll den **Schreck** gekriegt.

Zum Glück sollte ich aber erst mal nur eine Tonleiter spielen. Also, Tonleiter kann ich ja. Allerdings bloß eine **indische**. Und die hört sich natürlich ein bisschen **jauliger** an als eine deutsche.

Ich hab tief Luft geholt und dann hab ich ganz langsam eine **indische** Tonleiter gespielt.

Und als ich so ungefähr beim fünften oder sechsten Ton war, ist plötzlich wieder was passiert. Die winzig kleine Flöte im Schrank hat nämlich mitgespielt.

Sie hat da so ein bisschen rumgepiepst.

Das hat sich voll süß angehört!

Aber dann hat eine größere Flöte auch geflötet. Und noch eine. Und noch eine.

Und dabei sind sie immer lauter geworden.

Ich hab lieber schnell aufgehört, in meine Flöte zu pusten. Trotzdem haben immer mehr Flöten **GEFIEPT** und **GETRÖTET** und **GETUTET**.

Es war so laut, dass ich mir die Ohren zugehalten hab. **Boah!** Dass so ein paar Blockflöten so einen **LÄRM** machen können!

HUP!

pieps

TÖTÖÖ!

QUIIIIIETSCH!

TÖÖRÖÖÖ!

FUP!

Als ich gesehen hab, dass die Glasscheibe angefangen hat zu zittern, da hab ich meine Flöte genommen und bin lieber rausgegangen in den Flur.

Frau Engelmann auch, übrigens. Mit einem Mal war sie auch gar nicht mehr so nett und hat gesagt, ich soll gehen und nie wieder in die Nähe ihrer Flöten kommen.

DÖÖÖÖD!

TUUT!

KLIRR!

Dann hat was ge**kracht** und ge**klirrt** und da bin ich schnell abgehauen.

Nee, wirklich, meine Flöte ist für normalen Blockflötenunterricht nicht zu gebrauchen, glaub ich. Die eignet sich nur für **Schlangenbeschwörung**. Das muss ich Mama dringend mal sagen. Damit sie endlich weiß, dass sie mir nicht ständig neue Blockflötenlehrer suchen muss.

DIENSTAG, DER 15. MAI

Cheyenne hat was Neues rausgefunden.

Und zwar dass der Film mit **Till Tettenborn** jetzt nicht mehr in der Sporthalle gedreht wird. Sondern am Kröte-Gymnasium oder wie das heißt. Das ist hier ganz in der Nähe!

Ich bin da so vorbei-
gekommen, gestern,
und da waren die alle
auf dem Schulhof mit
ihren Kameras.

Und dann hat sie noch erzählt, dass die Zuschauer nicht auf den Schulhof durften. Und **Till Tettenborn** hat sich mit einem geprügelt. Das musste er, weil das gefilmt wurde.

Da hab ich ganz
laut geschrien:

**„LOS, TILL,
HAU IHM EINS
IN DIE FRESSE!"**

Und dann? hab ich gefragt und mir war total **kribbelig**.

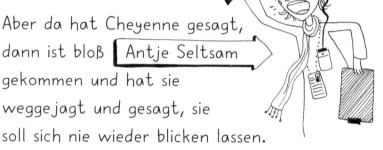

Aber da hat Cheyenne gesagt, dann ist bloß Antje Seltsam gekommen und hat sie weggejagt und gesagt, sie soll sich nie wieder blicken lassen.

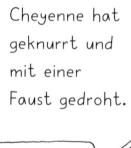

Und meinen Schmuck hat sie mir auch noch nicht wiedergegeben, die blöde Kuh!

Cheyenne hat geknurrt und mit einer Faust gedroht.

Da müssen wir hin! Gleich heute Nachmittag!

 Am liebsten wär ich sofort zum Kröte-Gymnasium gelaufen! Und zwar weil das jetzt ja vielleicht doch noch klappt mit unserem neuen **Hobby!**

„Klar gehen wir hin", hat Cheyenne geknurrt und immer noch mit ihrer Faust gedroht. „Jetzt erst recht!"

Und dann haben wir auch noch Paul Bescheid gesagt, damit er mit uns kommt. Schließlich sind wir ja eine Bande, DIE WILDEN KANINCHEN!

Aber Paul wollte trotzdem nicht zum Film gehen.

Er wollte lieber zu Hause bleiben
und seine Zauberkunststücke üben. gähn!

Ich glaub, er ist ein bisschen eifersüchtig, weil
ich nämlich besser zaubern kann als er.

Aber Cheyenne und ich, wir sind sofort nach
dem Mittagessen losgelaufen zum Kröte-
Gymnasium. Leider standen schon ganz viele
Leute am Zaun und haben geguckt.
Deshalb war da total wenig Platz.
Und das Tor war auch abgeschlossen.

Büsche mit Hagebutten dran

Kleine Pforte

Aber dann hatte Cheyenne
voll die gute Idee. Und zwar
ist ihr eingefallen, dass es da
noch so eine kleine Pforte
gibt, hinter der Schule.

Da ist sie früher manchmal durchgegangen, weil dahinter Büsche stehen mit Hagebutten dran. Und die braucht man ja, wenn man Juckpulver machen will.

Juckpulver à la Cheyenne

Man suche:
Büsche mit Hagebutten dran.

Man pflücke:
eine Handvoll Hagebutten.

So wird's gemacht:
1. Hagebutten aufschneiden.

2. Kerne mit Löffel rauskratzen.

3. Fertig.

Anwendung:
Die Kerne in den Halsausschnitt von z. B. Berenike rieseln lassen.

Wir sind sofort zu der Pforte gelaufen und sie war offen! **Juchhu!** Schnell sind wir durch-gewitscht  und an den Büschen vorbei.

Aber das waren jetzt andere Büsche. Da waren nämlich (Rosen) dran und keine Hagebutten.

Fast wär ich auch noch hingefallen, weil ich über irgendwas gestolpert bin, das plötzlich aus den Büschen gesprungen ist.

Und zwar über einen weißen Hasen.

Der ist mitten auf dem Weg sitzen geblieben und hat mich angestarrt. Und gemümmelt hat er, so mit seinen Nagezähnen.

Hey! Das ist der gezauberte Hase! Der von Paul!

Da hat der Hase einen **Schreck** gekriegt und ist wieder in die Büsche gehoppelt.

flitz

Und ich hab Cheyenne erst mal erzählt, dass ja wohl (ich) den Hasen gezaubert hab und nicht Paul!

Danach sind wir um die Schule rumgeschlichen und Cheyenne hat sich so **geheimnisvoll** umgeguckt.

Pssst. Ich hab einen Plan.

schleich

Und das war er, **CHEYENNES PLAN:**

 Erst mal müssen wir uns **unauffällig** unter die Leute mischen.

 Und wenn **Till Tettenborn** dann gefilmt wird, dann müssen wir immer so hinter ihm rumgehen.

$\rightarrow$ Damit wir auch gefilmt werden.

 Und dann machen wir irgendwas, **was voll gut aussieht** im Film.

 Und dann werden wir entdeckt!

 Und dann kriegen wir natürlich auch eine **HAUPTROLLE!!!**

juchhu!

Da bin ich schon wieder ganz **kribbelig** geworden, weil ich das **total aufregend** fand!

Also haben wir uns erst mal unauffällig unter
die Leute gemischt. Das war voll schwer.

Obwohl da echt viele Leute waren. Aber die
waren alle älter als wir. Und außerdem sind die
immer hin und her gelaufen und wir
haben bloß so rumgestanden.

Deshalb haben wir uns lieber hinter
einem großen Schirm versteckt. Das war ein
bisschen **langweilig**, aber wenigstens konnten
wir uns überlegen, was wir machen, wenn wir
gefilmt werden. Was voll gut aussieht im Film.

Wir müssen da so hinter Till
Tettenborn stehen und sagen:
„Husten, wir haben ein Problem!"

← Schirm

Und zwar weil ich das
schon mal im Fernsehen
gesehen hab. Da war auch
einer, der Schauspieler
werden wollte und der
hat das immer geübt.

Aber Cheyenne hat nur so geschnaubt.

Ey, das ist
ja voll blöd.

Und sie hat gesagt, dass
wir lieber tanzen und
singen sollen. Weil man
das nämlich wirklich
braucht, wenn man ein
Star sein will.

Typisch Cheyenne! Sie will immer nur das machen, worin sie gut ist! Ich hab ein bisschen **schlechte Laune** gekriegt.

Gerade wollte ich ihr sagen, dass sie ja echt keine Ahnung hat, da haben wir Till Tettenborn gesehen.

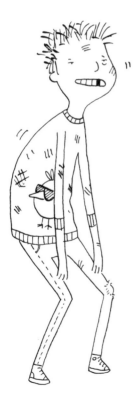

Und zwar wurde der gefilmt.

Er sah immer noch ein bisschen **verprügelt** aus, obwohl das ja schon gestern war. Aber seine Sachen waren ganz **schmutzig** und auch ein bisschen **kaputt** und die Haare sahen auch so **verstrubbelt** aus.

Ganz leise ～～～～> sind Cheyenne und ich
hinter unserem Schirm hervorgekrochen.

Till Tettenborn hat sich gerade mit einem
gestritten. Der sah richtig **FIES** aus.
Außerdem war er viel größer und auch dicker,
so an den Schultern.

Und dann hat er **Till**
auch noch geschubst.
GEMEIN!
Da wussten wir,
was zu tun war!

haben wir geschrien, Cheyenne und ich.
Und zwar gleichzeitig. Dann sind wir losgerannt.

Wir hatten so viel
Schwung, dass wir
den **FIESEN** voll
umgerempelt haben.

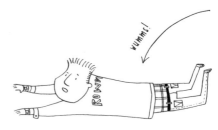

Mit einem Mal lag der auf dem Schulhof und
Cheyenne hat einen Fuß auf ihn draufgestellt
und gerufen:

Und weil ich ja auch
gerne eine Hauptrolle
haben wollte, hab
ich schnell noch
hinterhergerufen:

Aber dann haben alle Filmleute angefangen
rumzuschreien und zu **schimpfen**.

Boah, haben die einen **LÄRM** gemacht!

Bloß Antje Seltsam war nicht dabei.
Das war ja mal komisch.

Dafür kam aber ein Mann mit einer Sonnenbrille angelaufen.

Der hatte genauso ein **böses** Gesicht wie Antje Seltsam und hat gebrüllt, wenn wir nicht auf der Stelle verschwinden, dann vergisst er sich.

Da sind wir lieber gegangen. Obwohl ich das gerne gesehen hätte, wie der sich vergisst. So was hab ich nämlich noch nie gesehen.

vergessen

Ein anderer Mann hat uns zum Tor
gebracht und es aufgeschlossen
und hinter uns wieder abgeschlossen.
Dabei hat er die ganze Zeit
nicht mit uns geredet.

SCHEPPER

Die ganzen Leute hinterm Tor haben uns
angeguckt. Wahrscheinlich, weil wir jetzt
ein kleines bisschen **BERÜHMT** waren.

Als wir dann nach Hause gegangen sind, hat
Cheyenne sehr zufrieden ausgesehen.

Ich glaub, das war
der Resischör eben.

Und sie hat ge-
meint, dass er uns
jetzt bestimmt
entdeckt hat.

Aber dann hat sie plötzlich ein bedröppeltes Gesicht gemacht.

Hoffentlich wird Casimir nicht eifersüchtig. Wenn ich die Hauptrolle spiel, mein ich. Zusammen mit **Till Tettenborn.**

Da hab ich lieber nichts gesagt.
Weil ich ja vielleicht auch die Hauptrolle krieg.

Schließlich hab ich
ja den richtigen
Satz gesagt.
Wie eine echte
Schauspielerin!

MITTWOCH, DER 16. MAI

So! Heute **muss** es klappen mit der **Hauptrolle!**

Vor allem weil Berenike
in der Schule schon wieder
total angegeben hat. Sie hat
ihre Federtasche rumgezeigt
und da war ein Autogramm
von Till Tettenborn drauf.
Mit  Smiley.

Till Tettenborn

Pfff! Die mit ihren **PUSCHELN!**

122

Nach dem Mittagessen wollte ich gleich zu Cheyenne. Wobei, eigentlich wollte ich schon vor dem Mittagessen zu Cheyenne, weil es nämlich heute **ROSENKOHL** gab.

Und Rosenkohl schmeckt ein bisschen so, wie wenn ein Hund mit **MUNDGERUCH** einen anhaucht.

Aber Mama war schon wieder **schlecht gelaunt.**

Weil sie nämlich schon
wieder eine Flötenlehrerin
angerufen hatte. Und die
war **sehr unfreundlich** am
Telefon, hat Mama gesagt.

Lieber wollte die einen
ausgewachsenen **Gorilla**
unterrichten als mich.

Oh Mann, Mama! Dabei hatte ich ihr
doch erzählt, dass meine Flöte sich nicht
für Flötenlehrerinnen eignet!

Aber ich hab lieber den Mund gehalten, weil Mama die ganze Zeit nur gemeckert hat.

Obwohl ich es eigentlich auch ganz schön fies finde, wenn Blockflötenlehrerinnen solche Sachen über mich sagen.

Nur weil sie keine Ahnung von **Schlangenbeschwörung** haben!

Direkt nach dem Essen wollte ich dann zu Cheyenne laufen, aber Mama hat gefragt, ob ich keine Hausaufgaben aufhab.

Menno! Wie soll man denn eine berühmte Schauspielerin werden, wenn man immer Mathe machen muss?

Also bin ich hoch in mein Zimmer gerannt und hab versucht, ganz schnell zu rechnen.
Ich konnte mich aber nicht richtig konzentrieren, weil die Jungs unten so **rumgebrüllt** haben.

Deshalb wollte ich runterlaufen und gucken, was los ist. Aber dabei bin ich über Heesters gestolpert, unsere Schildkröte.

(Über Heesters schreib ich später noch was. Jetzt hab ich gerade keine Zeit!!!)

Jakob und Simon waren bei Mama in der Küche. Mama hat gerade versucht, Jakob die Haare zu schneiden, und zwar mit

ROBOFLOW
Das Haarschneidesystem für zu Hause.

hups

Das hatte sie bestimmt schon wieder irgendwo im Fernsehen bestellt. Es sah aus wie ein Staubsauger, und als ich genau hingeguckt hab, hab ich gesehen, dass es auch unser Staubsauger war!

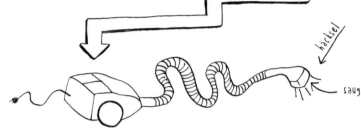

Da hatte Mama so ein Teil drangeschraubt, womit sie gerade Jakobs Haare weggesaugt hat. Kein Wunder, dass der so **geschrien** hat!

Simon hat auch **geschrien**.
Und zwar weil er als
Nächster dran war.

Da hab ich mich lieber schnell aus dem Staub gemacht. Ich hab nur noch schnell meine Flöte geholt, meine **indische**. Und dann bin ich losgelaufen.

Bei dem **LÄRM** kann man sowieso kein Mathe machen.

Cheyenne hat schon auf mich gewartet.

Und Chanell, ihre kleine
Schwester, auch.

Ich will aber mit!
hat Chanell gerade
geschrien und mit den
Füßen getrampelt. Aber
das ist normal. Chanell
schreit meistens rum.
Sie ist acht und
ziemlich **nervig**.

Ey Mann, das geht nicht. Man muss mindestens
zehn sein, wenn man in einem Film mitspielen will.

blinker

blinker

Und wir haben uns zugeblinkert,
Cheyenne und ich.

Aber da hat Chanell noch viel lauter geschrien.
Und zwar, dass bei Molly-May, die süße Prinzessin,
auch kleine Kinder mitspielen.

Molly-May,
die süße Prinzessin

Also echt, so langsam hab ich genug
von diesem ganzen GESCHREI!

Aber Cheyenne hat nur
mit den Schultern gezuckt.

Na gut, dann kommst
du eben mit.

stöhn!

zuck

Und dann sind wir losgegangen.

Chanell hat die ganze Zeit irgend so einen Blödquatsch geplappert. Von wegen, dass sie eine Prinzessin spielen will mit einer Krone und einem Wunderpony und zaubern kann sie auch noch mit ihrem goldenen Glitzerstab.

Glitzerstab →
← Krone
← Wunderpony

Oh Mann, wie kann man bloß so viel Mist reden!

Wir waren schon fast beim Kröte-Gymnasium, da haben wir gesehen, dass sie noch ihre Puschen anhatte. Die Puschen, die aussehen  wie tote Meerschweinchen, mein ich.

Da hat Cheyenne gesagt, mit den Puschen kriegt sie bestimmt keine Filmrolle.

Oder ob Chanell schon mal gesehen hat,
dass Prinzessin Molly-May mit so doofen
Puschen rumläuft?

← keine Puschen

Und da hat Chanell
wieder **losgebrüllt.**
Nee, kleine Geschwister sind
das **Nervigste,** was es gibt!
Echt! 😐

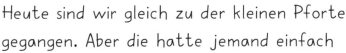

Heute sind wir gleich zu der kleinen Pforte
gegangen. Aber die hatte jemand einfach

 **abgeschlossen**⟶
GEMEIN!
Das war ja jetzt blöd. 😠

Chanell hat gesagt, wir sollen über 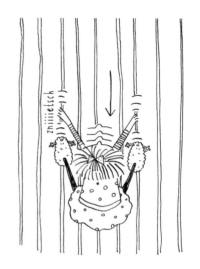 den Zaun klettern. Aber der war zu hoch und außerdem aus so dünnen Stangen. Da ist sie sowieso gleich wieder abgerutscht mit ihren Puschen.

Deshalb sind wir nach vorne gegangen, dahin, wo der Haupteingang ist.

Schon wieder standen da ganz viele Leute am Zaun, die geguckt haben. Cheyenne hat gerufen, dass sie uns vorbeilassen müssen, weil wir Schauspieler sind. Aber die haben uns nicht geglaubt. Die haben einfach keinen Platz gemacht!

Also, so langsam bin ich ein bisschen **ungeduldig** geworden! Das kann ja wohl echt nicht sein, dass Kinder nicht gucken können, weil die ganzen Erwachsenen sich vordrängeln!

Da hat Cheyenne angefangen, Chanell zwischen ein paar Leuten durchzudrücken.
Und ich hab ihr geholfen. Ich hab sogar gerufen:

Lassen Sie doch das Kind durch! weil man das so macht.

Leute

Chanell hat gebrüllt, weil es total eng war und sie voll eingequetscht wurde. Und da haben die Leute ein bisschen Platz gemacht. Dabei haben sie die Köpfe geschüttelt und wahrscheinlich haben sie auch gemeckert. Auf jeden Fall konnte ich sehen, dass sich ihre Münder bewegt haben. Aber man konnte nichts hören. Und zwar weil Chanell so laut geschrien hat.

Endlich standen wir vorne am Zaun und konnten auf den Schulhof gucken. Erst mal ist gar nichts passiert. Nur ganz viele Leute sind rumgelaufen und haben Sachen hin und her geschleppt. Lampen und so.

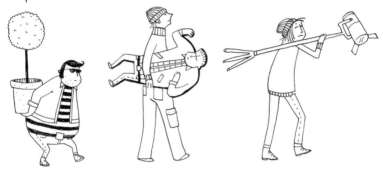

Chanell hat gemault, dass ihr voll langweilig ist.

Da hat Chanell sie an den Haaren
gezogen und Cheyenne hat ihr gegen
die Schulter geboxt.
Und dann gab's erst mal wieder **GESCHREI**.

Na ja, wenigstens ist der Platz um uns rum
immer größer geworden.

Und dann hat Cheyenne plötzlich den Resischör
gesehen. Der hatte so Papiere in der Hand und
hat mit jemandem gesprochen.

Huhu!

hat Cheyenne
gerufen und durch
das Gitter gewinkt.

Aber ich hab ihr gesagt,
sie soll das lieber lassen,
weil ich nämlich eine
𝕭𝖊𝖘𝖘𝖊𝖗𝖊 𝕴𝖉𝖊𝖊 hatte.
Schließlich hatte ich
ja meine Flöte dabei!

Ich hab Cheyenne gesagt, dass ich den Resischör **beschwören** will. Wenn er nämlich erst mal so richtig **beschwört** ist, gibt er uns bestimmt eine Hauptrolle.

Das fand Cheyenne auch gut.

Also hab ich meine Flöte rausgeholt und mich ganz doll konzentriert. Weil es ja unbedingt klappen musste! **Das war jetzt schließlich kein Üben mehr, sondern der Ernst des Lebens!**

Ich hab die Augen zugemacht und dann hab ich ganz vorsichtig in die Flöte gepustet. Und dann ein bisschen lauter. Es hat sich **total indisch** angehört.

Die ganzen Leute, die am Zaun standen, waren plötzlich mucksmäuschenstill und haben nichts mehr gesagt. Ich glaub, die waren alle schon **beschwört!** Voll cool!

Da hab ich immer weitergemacht mit meiner **Schlangenbeschwörermusik**. Ein bisschen bin ich dabei auch so hin und her geschaukelt. Bestimmt hab ich ausgesehen wie ein

echter indischer Fakir!

Und dann ... und dann haben mit einem Mal alle Ooooooooh! gerufen!

Ich hab schnell die Augen geöffnet, weil ich dachte, jetzt ist was TOLLES passiert. Es war auch was passiert. Bloß weiß ich nicht, ob es so toll war. Es hatte auf jeden Fall nichts mit Schauspielerei zu tun.

Plötzlich ist nämlich ein riesiger Schwarm Vögel über die Schule geflogen. Ich konnte gar nicht erkennen, was das für Vögel waren ...

Krähen oder Möwen oder so ...

Aber auf jeden Fall wurde der Himmel voll dunkel. 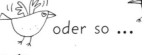 Als ob es gleich regnen würde.

Da hab ich lieber nicht weitergespielt auf meiner Flöte. Weil **ich** die ja vielleicht **beschwört** hatte, die Vögel.

Und weil die so böse aussahen, wie die da alle angeflogen kamen.

141

Alle haben nach oben geguckt, und als die
Vögel genau über dem Schulhof waren,
haben sie angefangen, was fallen zu lassen.

Vogelkacke nämlich.

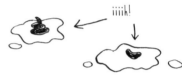

iiiih!

Jetzt war es wirklich, wie wenn es regnet, und
die ganzen Schauspieler und Lampen-hin-und-
her-Träger und der Resischör haben angefangen
zu **schreien**. Und mit den Armen zu wedeln.
Und dann sind sie reingerannt, in die Schule.

hier sind wir

Da sind die Vögel zu uns rübergeflogen, zu den
Zuschauern. Und die Zuschauer haben sich alle
umgedreht und sind weggerannt.

Mit einem Mal hatten wir ganz viel Platz, Cheyenne und Chanell und ich. Aber dann hab ich auch einen Vogelklecks abgekriegt, und zwar voll in die Haare. Und da sind wir auch lieber losgelaufen.

flatsch

Auf dem Weg nach Hause hat Chanell die ganze Zeit rumgeheult, weil sie Vogelkacke auf den Puschen hatte.

iiiih!

Ich hab in der Zwischenzeit noch mal überlegt, ob Zaubern nicht auch ein gutes **Hobby** für mich wäre. Weil, mit Zaubern kenn ich mich ja ein bisschen aus. Wegen meiner Flöte. Schließlich hab ich ja auch schon einen <u>echten</u> weißen Hasen aus dem Hut gezaubert. Das kann ich besser als Paul, zaubern und **beschwören** und so.

Gerade als ich das Cheyenne sagen wollte, hat sie so geseufzt. Und sie hat gesagt, wenn es mit Till Tettenborn nicht klappt, dann nimmt sie eben doch Casimir. Der ist ja auch voll cool.

tadaa! →

seufz

Aber gerade in dem Moment haben wir Casimir
gesehen. Und zwar auf der anderen Straßenseite.
Allerdings hat er nicht rübergeguckt.

Er ist da nämlich mit
so einer aus der Achten
rumspaziert. Ich glaub,
die heißt Anna. Sie haben
sich an den Händen ge-
halten und miteinander
geredet. Und dabei haben
sie sich so in die Augen
geguckt, dass sie uns
nicht gesehen haben.

Da hat Cheyenne erst mal
gar nichts mehr gesagt.

Und dann hat sie gesagt,
dass wir morgen wieder zu
Paul ins Baumhaus gehen.

Und wehe, er hat in der Zwischenzeit keine coolen Zaubertricks gelernt!

DONNERSTAG, DER 17. MAI

mil Ohren

Paul hat sich schon in der Schule gefreut, dass er uns nachmittags was vorzaubern durfte. Er hat gesagt, dass wir uns bestimmt total wundern, was er jetzt alles kann. Weil er so viel geübt hat. Auch den Hasentrick.

Da war ich schon richtig gespannt. Schließlich ist das ja jetzt auch mein neues **Hobby**, Zaubern.

Nachmittags sind Cheyenne und ich dann gleich nach den Hausaufgaben zu Paul gelaufen. Er war schon in seinem Baumhaus und hatte alles vorbereitet für die Zaubershow.

Bloß Kekse waren keine da fürs Publikum.

Das fand ich ein bisschen merkwürdig.
Weil Paul ja sonst immer was zu essen da hat.
Aber Paul hat gesagt, zu einer Zaubervorstellung
passen keine Kekse.

Da haben
Cheyennes
Augen
geleuchtet.

blink

Cool, ey, dann
gibt's wohl
Popcorn, was?

Aber Paul hat gesagt, das
hier wär kein Zirkus mit
Clowns, sondern echte
Magie und Kunst der Illusion und
so was. Und dazu gibt's
auch kein Popcorn.

POPCORN

Also haben wir uns auf die Holzkisten gesetzt,
Cheyenne und ich, und haben gewartet.
Paul hat einen schwarzen Umhang
und weiße Handschuhe   angezogen.

FRISEUR
2000

147

Dann hat er sich so verbeugt.

Sährr värrährrte Damen und Härren,
ich prräsentierre Ihnen ...
den grroßen Paulini!

Dabei hat er sich aber doch wie
ein Zirkusclown angehört, wie so
ein weiß angemalter. Die sprechen
auch immer so **quäkig**.

Aber dann hat er was **Tolles** gemacht.
Und zwar hatte er so eine Dose, die
war mit Alufolie umwickelt.

Er hat die Dose
vor sein Gesicht
gehalten, mit
beiden Händen.

Und dann hat er die Hände
ganz langsam weggenommen ...
und trotzdem ist die Dose in
der Luft geblieben!
Die ist echt geschwebt,
zwischen seinen Händen.
Boah, cool!

ladaaa

Cheyenne und ich haben geklatscht
und gejubelt . Das können wir jetzt
ziemlich gut, weil wir das ja ganz
viel beim Film geübt haben.

Und jetzt das mit
dem weißen Hasen!

Da hat Paul so **streng** über
seine Brille geguckt wie Frau
Kackert und hat gesagt:

Späterr,
värrährrtes
Publikum,
späterr!

Aber dann hat er mit seiner normalen Stimme weitergesprochen und gesagt, dass ihm gestern was **Komisches** passiert ist. Er war nämlich zum Schachspielen im Gemeindezentrum.

Auf dem Rückweg ist er am Goethe-Gymnasium vorbeigekommen, so wie jeden Mittwoch.
Aber gestern wurde da gerade ein Film gedreht.
Und als er so am Zaun vorbeiging und gerade daran dachte, wie er beim Schach gegen den doofen Tobi gewonnen hatte, da kam jemand angelaufen und hat gerufen, dass man für die nächste Szene genau so einen **kleinen Jungen mit Brille** braucht.

Und da haben sie gefragt, ob ich vielleicht mitspielen will. Das hab ich dann auch gemacht. Ein Böser sollte mich ärgern und dann kam ein berühmter Schauspieler und hat mich gerettet. Ich hab bloß vergessen, wie der heißt.

Also, ich hab Paul
nur angestarrt.
Weil mir gerade der
Mund offen stand
und ich deshalb nicht
sprechen konnte.

Paul hat einfach weitergeredet.
Und zwar dass er auch noch was sagen sollte,
nämlich Danke, und dann hat er noch High-
five mit dem berühmten Schauspieler gemacht.

So mit der Hand. Und er
hat mir einen Arm um die
Schulter gelegt. Das war
echt toll! Und nächstes
Jahr kommt der Film ins
Fernsehen und dann könnt
ihr mich da sehen.

Dann hat er noch in seinem schwarzen
Zaubersack mit Sternen drauf
gewühlt, weil er jetzt nämlich
keine Plastiktüte mehr hat.

Er hat eine DVD rausge-
zogen, die hieß **DER COOLE
AUS DER SCHULE**. Da war
Till Tettenborn vorne drauf.

Paul hat auf ihn gezeigt und gesagt:

Guckt mal, der war das,
der berühmte Schauspieler.
Die DVD hab ich noch
geschenkt gekriegt.
Mit Autogramm, hier,
guckt mal!

Aber da waren
Cheyenne und ich
schon aufgesprungen
und fast die ganze
Leiter runter.

Wir waren so stinkig, dass wir nicht mal mehr schreien konnten! **Boaaah, das war ja so was von unfair!!!**

Paul hat noch seinen Kopf oben rausgestreckt und gerufen, wo wir denn hinwollen.

Aber wir haben nicht geantwortet, Cheyenne und ich. Wir sind aus Pauls Garten rausgelaufen und dann sind wir durch die Straßen gerannt und haben nichts gesagt.

Hexe ~~Lotta~~ **Paul**

Wir sind bloß immer weitergerast.  Bis Cheyenne Seitenstiche hatte und dann sind wir stehen geblieben. Gerade waren wir in der Nähe vom Kröte-Gymnasium. Aber da sind wir (nicht) hingegangen. Cheyenne hat so geschnauft und sich die Seite festgehalten.

Und dann hat sie gejapst, dass so ein **Hobby** doch wohl das Blödeste ist, was es gibt.

Genau. **Hobbys** sind doch eigentlich total **überflüssig**. Man hat gar keine Zeit mehr für was anderes, wenn man ständig zaubern muss. Oder in einem Film mitspielen.

Und dann sind wir in den Park gegangen. Da kann man nämlich einfach reingehen und spielen, wozu man Lust hat, wenn man nicht ständig irgendwelche **Hobbys** machen muss. **SO!**

Allerdings wussten wir erst nicht, was wir im Park tun sollten, außer auf den Spielplatz gehen. Und der ist ja eher für Kleinkinder.

Aber gerade da haben wir einen Hund gesehen,
der einen Hasen
gejagt hat.

HA! Das war ein Fall für
DIE WILDEN KANINCHEN!

EINER FÜR ALLE UND ALLE FÜR EINEN!

Und wir sind losgerannt.

Der Hund ist aber
nicht sehr weit
gekommen, und zwar
weil er an einer
Leine fest war.

wuff?

 ← Da war der Hase schon längst
in einem Busch verschwunden.

Ein bisschen schade war das schon.
Weil wir ihn ja eigentlich retten wollten.

Cheyenne und ich sind trotzdem zu dem Busch
gegangen und haben mal geguckt, ob er noch da

ist, der Hase. Er war wirklich
noch da. Er hat so rumgesessen
und uns angeguckt und dabei
total lieb gemümmelt.

Und da haben wir erst gesehen,
dass es **unser** weißer Hase war!
Unser gezauberter aus Pauls
Baumhaus! Der in Wirklichkeit ein
Puschen oder eine Mütze ist.

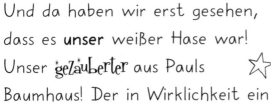

Cheyenne hat sich so umgeguckt, als ob sie einen Löwenzahn pflücken wollte. Dann ist sie aufgesprungen. Aber dabei ist sie voll mit dem Kopf gegen einen Ast von einem Baum geknallt.

Da hat's bloß noch geraschelt im Busch und der Hase war weg.

 Außerdem sind ganz schön viele Blätter vom Baum gefallen.

Und ein Frisbee.

 Ey, cool! hat Cheyenne gerufen und sich die Stirn gerieben, wo sie eine ordentliche Beule hatte.

Und dann haben
wir Frisbee gespielt.

Den ganzen
Nachmittag lang.

swisch

Dabei haben wir gemerkt,
dass wir das ziemlich gut
können, wir beide!

Ob das wohl ein
richtiges **Hobby** ist?
Frisbee spielen?

Alice Pantermüller / Daniela Kohl
Mein Lotta-Leben

Alles voller Kaninchen
978-3-401-06739-1

Wie belämmert ist das denn?
978-3-401-06771-1

Hier steckt der Wurm drin!
978-3-401-06814-5

Ich glaub, meine Kröte pfeift!
978-3-401-06961-6

Arena

www.mein-lotta-leben.de
Als Hörbücher bei JUMBO

Jeder Band:
Gebunden
Mit Illustrationen von Daniela Kohl
www.arena-verlag.de

Berenike von Bödecker

Casimir von Bödecker

der coolste Junge auf dem Schulhof (findet Cheyenne)

geht in meine Klasse ↰ Bruder von
→ ist total hochnäsig

die Bande von Berenike →
die ~~Glamour~~-Girls
LÄMMER

guckt immer gerne streng über ihre Brille

unsere Klassenlehrerin →

Emma, Hannah, Liv-Grete

Frau Kackert

meine BlöDbrüDer

berühmter Schauspieler

Till Tettenborn

Jakob und Simon Petermann

Zwillinge nämlich

Till Tettenborn

Original-Autogramm
(hat Cheyenne gefälscht)